y los piratas

B Bruño

2.ª edición

B Bruño

Director de Ediciones y Producción:
José Ramírez
Jefe de Publicaciones Infantiles y Juveniles:
Trini Marull
Jefe de Producción:
José Valdepeñas

Coordinadora de Ediciones:
Cristina González
Coordinador de Producción:
Alberto García

Ilustraciones:
Birgit Rieger

Traducción:
Rosa Pilar Blanco

Diseño de cubierta:
Miguel Ángel Parreño

Título original: *Hexe Lilli bei den Piraten*
© Arena Verlag GmbH, Würzburg, 1995.
© Editorial Bruño, 1998.
    Maestro Alonso, 21.
    28028 Madrid.

AKS64000020
ISBN: 84-216-3421-6
Depósito Legal: M-36.131-1998
Printed in Spain

Al final de este libro encontrarás tres auténticos trucos de pirata.
Pero no seas impaciente y... ¡espera a llegar a la página 105!

9

Ésta es Kika, la superbruja protagonista de nuestra historia. Tiene más o menos tu edad y parece una niña corriente y moliente. Bueno, en realidad lo es…, aunque no del todo. Y es que Kika posee algo muy poco común: ¡un libro de magia!

Una mañana, Kika encontró ese libro junto a su cama. ¿Que cómo llegó a parar allí? Ni idea.

Kika sólo sabe dos cosas: que la atolondrada bruja Elviruja se lo dejó olvidado en un descuido, y que el libro contiene auténticos encantamientos y loquísimos trucos de bruja. Kika ya ha probado algunos. Pero ¡cuidado…!

Será mejor que no intentes imitar los conjuros de Kika, porque...

Si al leer una palabra te equivocas,
tu cepillo de dientes se convertirá en escoba;
tu profesora, en una monstrua abominable,
y el helado que te estás comiendo,
en un pepinillo en vinagre.

Por si acaso, Kika Superbruja no le ha hablado a nadie de su fantástico libro. Es, como si dijéramos, una bruja auténtica, pero secreta. Ha ocultado la existencia del libro de magia incluso a Dani, su hermano pequeño, y esto no le ha resultado nada fácil, pues Dani es muy, pero que muy curioso, y a veces hasta puede resultar algo plasta. Pero, a pesar de todo, Kika le adora.

Bueno... y a continuación, ¡sumérjete en el placer de la superlectura con las aventuras de Kika Superbruja!

Capítulo 1

—¡**A**h del barco! ¡Izad las velas! ¡Levad anclas!

Dani, el hermano pequeño de Kika, desliza de un lado a otro su barco pirata. Desde que tiene ese barco de juguete le encanta jugar a piratas.

—¡Todos los cañones a babor! ¡Esperamos un ataque desde tierra firme!

Dani coloca los seis pequeños cañones en el lado izquierdo del barco. Después hace que el fiero capitán baje del palo mayor y lo coloca delante, en la proa del navío.

—¡Me huelo un ataque! —grita Dani con voz de trueno—. ¡Todos los hombres a cubierta!

Una tras otra, va sacando de la panza del barco todas las figuras de piratas y las coloca en la cubierta. Está tan ensimismado en su juego que no se da cuenta de que Kika ha entrado en la habitación y ahora está justo detrás de él. Estirando el brazo enérgicamente hacia delante, como si él mismo fuera el capitán pirata, Dani grita:

—¡Vamos a darles una buena lección a esos marineros de agua dulce! ¡Todos los hombres a los cañones!

—¡Entonces tomad esto, miserables tipejos! —interviene Kika en voz alta mientras deja caer toda una descarga de kikos sobre el barco de Dani.

—¡Qué mala suerte! —protesta su hermano—. Si hubiera sabido que estabas detrás de mí, no habría disparado hacia delante..., ¡sino a mis espaldas!

—¡Ha sido un ataque sorpresa! —dice Kika con voz triunfal.

—Sí, pero eso no vale —intenta defenderse Dani.

—¡Claro que vale! Los combates piratas son así —responde Kika entre risas, a la vez que somete al barco a otro bombardeo de kikos.

—¡Eres mala, mala y requetemala! —grita Dani.

Kika tiene la impresión de que su hermano pequeño está a punto de echarse a llorar e intenta arreglarlo:

—Vamos, hombre... Si no lo he hecho con mala intención —dice.

—¡No puedes atacar por sorpresa! —protesta Dani furioso, y empieza a lanzarle los kikos a su hermana—. Además, las niñas no pueden jugar a piratas. Las niñas no pueden participar en nada relacionado con ellos. ¡Y con los piratas de verdad, menos!

—¿Quién lo dice?

—Siempre ha sido así —responde Dani con tono firme.

—¿Y qué me dices del Corsario Rojo? Era una mujer, sólo que disfrazada de hombre.

—Ah, sí, la de aquella película de piratas...

A Dani no le queda otro remedio que darle la razón a su hermana.

—Y todas las demás mujeres piratas famosas, ¿qué? —protesta Kika—. ¿Qué me dices de Juanita Calamidad, o de Julia Sables, Larisa la Pilla, Coral Piraña, María la

Sanguinaria, Ernestina de Tepartoendós, Francisquita Picadillo y tantas y tantas otras...?

Dani se queda pasmado.

—¿Tantas piratas ha habido? —pregunta.

—Todas ésas y muchas más. Y *ellas* fueron precisamente las más temidas en todos los mares, por una sencilla razón: porque eran más feroces que los hombres piratas.

—¿Y cómo es que nunca he oído hablar de ellas? —pregunta su hermano.

—Pues porque fueron muy listas y no se dejaron atrapar. A la mayoría de los piratas les echaron el guante y los ahorcaron, como por ejemplo a Klaus Molestagente. Sin embargo, rara vez atrapaban a una mujer. Por eso no son tan famosas. Además, ellas encargaban a los hombres el trabajo sucio y preferían dedicarse a recoger el botín.

Dani está muerto de curiosidad. Su enfado por el ataque sorpresa de Kika ha desaparecido como por arte de magia.

—¡Cuéntame más cosas! —dice.

—¿Qué quieres que te cuente? —pregunta Kika haciéndose la tonta.

—¡Pues lo de esas increíbles mujeres piratas!

—¿De cuál de ellas quieres que te hable? ¿De Francisquita Picadillo, cuyas hazañas dieron nombre más tarde al picadillo de carne que sirve para hacer hamburguesas?

Dani se queda boquiabierto de la emoción.

—No, no, será mejor que me calle… —continúa Kika—. Creo que esa historia no es para niños pequeños. Además, a mí no me gusta el picadillo de carne…

Dani no logra decir ni pío del asombro.

Kika se sienta en el suelo junto a su hermano y piensa con qué historia espeluznante podría impresionarle.

Pero antes de que se le ocurra una, Dani recupera el habla y propone:

—Cuéntame algo de Celestina Teabro..., o como se llame... Tenía un nombre de lo más emocionante.

—Ah, te refieres a Ernestina de Tepartoendós. Bueno, la verdad es que hay poco que contar, excepto que utilizaba mucho mejor el cuchillo que el tenedor. ¿Me comprendes, verdad?

Aunque no entiende una sola palabra, Dani asiente con la cabeza. Por nada del mundo osaría interrumpir precisamente ahora a su hermana.

—A pesar de todo su talento —empieza a contar Kika—, Ernestina de Tepartoendós llevó una vida muy dura. Por desgracia, su existencia fue más corta que la hoja de su temido cuchillo. Tuvo un final trágico. Después de recorrer a cuchillada limpia las Antillas occidentales, quiso tallar un monumento al pirata en una palmera gigante de la Isla de los Vientos. En fin:

Como todo el mundo sabe, era mejor acuchillando que tallando, pues, sin darse cuenta, se le resbaló el cuchillo con tan mala fortuna que..., dicho en pocas palabras, exhaló su último suspiro en la Isla de los Vientos. Como es natural, depositaron el cuchillo en su tumba. Y, si creemos las viejas historias de piratas, estaba tan afilado que atravesó el ataúd, traspasó la tierra y entró directamente en el infierno. Cuentan que allí, con el impulso, le cortó el pie derecho al mismísimo diablo en persona. Dicen que, de la rabia, el diablo relinchó como un caballo, y a continuación le nació una pezuña que tuvo que llevar para siempre desde aquel instante.

—Lo de la pezuña de caballo del demonio ya lo había oído contar —confirma Dani con las orejas coloradas como tomates por la emoción—, pero no sabía que la causante fuera Ernestina de Tepartoendós.

—Así son las chicas piratas —comenta Kika—. ¡No se rinden ni después de muertas! Ni siquiera en el infierno...

Dani asiente con cara de asombro.

—¡Cuéntame más cosas! —le pide a su hermana.

25

Pero a Kika ya no le apetece continuar la historia. Y es que mientras le contaba a Dani ese tremendo cuento de piratas, le ha venido algo a la cabeza: el libro de magia. ¿Podría ayudarla a reunirse con los piratas por medio de algún encantamiento? ¿A navegar de verdad en uno de esos viejos barcos de bandera negra? Para ello, Kika tendría que viajar hacia atrás en el tiempo, y a lo mejor alguno de los muchos hechizos del libro de magia da resultado.

Kika empieza a soñar. ¡Pues claro que sí! ¿Por qué no emprender un viaje a la época de los piratas...?

Y si lo de retroceder en el tiempo no funciona, tampoco estaría mal recibir la visita de una mujer pirata de carne y hueso. Seguro que el coche de mamá podría convertirse en un magnífico navío..., la regla en un sable, la mochila en el cofre del tesoro, la cama en una hamaca, la plancha en...

—¡Sigue contando! —insiste Dani, arrancando a su hermana de sus pensamientos.

—No tengo tiempo —contesta ella—. Tengo cosas que hacer en mi habitación.

Se dirige a su cuarto, pero Dani la sigue a paso ligero.

—Necesito estar sola —dice Kika.

Quiere buscar inmediatamente en su libro secreto de magia un encantamiento para vivir aventuras con piratas. Y, como podrás suponer, Dani no debe saberlo.

Al fin y al cabo, Kika es una bruja secreta y desea seguir siéndolo.

—Tengo que hacer los deberes y necesito tranquilidad —miente a la vez que empuja suavemente a su hermano hacia la puerta.

Luego coloca el respaldo de la silla debajo del picaporte, como hace siempre que no quiere que nadie entre en su habitación. A continuación, se mete debajo de la cama y saca el libro de su escondite.

¡Ya puede empezar su tarea!

La búsqueda es difícil, pues no hay manera de encontrar la palabra *pirata*. En el libro de magia tampoco figura *aventura*.

29

Kika no para de darle vueltas a la cabeza. «¿Encontraré *viaje en el tiempo?*», piensa. Consulta la letra *V,* pero tampoco aparece *viaje en el tiempo.*

¡Porras!

Kika no se rinde tan fácilmente y sigue hojeando el grueso libro. Tal vez encuentre el hechizo adecuado por casualidad.

¡Ahí hay algo! ¿Le servirá de ayuda? Es una descripción del «Salto de la bruja» que ocupa más de cuatro páginas.

—¡Y yo que pensaba que las brujas viajaban siempre montadas en sus escobas! —comenta en voz baja.

¡Pues estaba equivocada! Al menos en esas páginas, el libro no dice ni palabra de las escobas de las brujas. La descripción no resulta nada fácil de entender, y a Kika le cuesta lo suyo terminar de leerla. Sin embargo, ahora intuye que va por el buen camino. Por eso sigue leyendo incansablemente, por difícil que sea.

De pronto, su cara se ilumina. ¿Habrá encontrado al fin lo que buscaba?

Capítulo 2

Kika sigue leyendo un buen rato muy concentrada. Después deja el libro de magia abierto sobre la cama y lo tapa cuidadosamente con la colcha. Tras apartar a un lado la silla que bloquea la puerta, se dirige a la habitación de Dani. Su hermano sigue jugando con su barco pirata.

—Vaya, ¿por fin has terminado los deberes? —pregunta Dani—. Por cierto: esta vez estoy preparado para un ataque por sorpresa. ¡No tienes la menor posibilidad!

Dani coloca los pequeños cañones de forma que apunten a su hermana.

Kika se echa a reír y exclama:

35

—¡Piedad, piedad, capitán Dani! Me rindo. Diles a tus hombres que retiren la artillería.

—¡De eso nada! —grita Dani—. ¡Ya conozco ese truco! En cuanto haya retirado los cañones, nos atacarás. ¡Yo no tengo un pelo de tonto!

—No, Dani, en serio. Necesito tu ayuda.

—Un marino honrado echa una mano siempre que puede —dice Dani, encantado de que su hermana mayor recurra a él.

—Necesito tu barco —le explica Kika sin más rodeos—. No será por mucho tiempo. Sólo un ratito...

—¡Estupendo! Entonces jugaremos juntos con el barco en tu habitación —accede Dani.

Está claro que no ha entendido bien a Kika, porque ésta le corrige:

—No, no: necesito el barco para mí sola.

—¿Para ti sola? —repite Dani—. ¿Por qué?

—Pues... porque sí.

—Entonces no te lo presto —responde Dani, tozudo.

—Pero si voy a devolvértelo enseguida... No lo necesitaré mucho rato —asegura Kika.

Sin embargo, Dani ya ha dicho su última palabra, y con gesto enérgico aferra su barco pirata dispuesto a no soltarlo.

Kika regresa a su habitación. Sin el barco de su hermano ya puede ir olvidándose del viaje a la época de los piratas.

Porque en el capítulo dedicado al «Salto de la bruja» dice que para viajar con ese hechizo la bruja necesita un objeto relacionado con el propósito del viaje:

Si quieres volar a un monte a toda velocidad,
de una piedra de ese monte
te tendrás que apoderar.
Si en la mesa del rey quieres comer,
un botón de su traje deberás poseer.
Si cruzar quieres el río dorado,
excremento de liebre tras la oreja
llevarás pegado.

Como es lógico, no basta con poseer el objeto adecuado: también hace falta un encantamiento, pero al fin y al cabo para eso tiene Kika el grueso libro de brujería.

¿Será capaz de llevarla el barco de juguete de Dani a la época de los piratas? Kika lo ignora, pero está dispuesta a hacer la prueba. Si la fórmula mágica surtiera efecto, ¿cuánto tiempo tardaría en ir a parar allí?

A fin de cuentas, los piratas con los que Kika sueña ya hace mucho tiempo que dejaron de existir. ¿Será prudente hacerse con algún arma? Ella ha leído que algunos piratas iban armados hasta los dientes, por lo que la aventura puede resultar peligrosa.

Sin embargo, primero tiene que conseguir a toda costa el barco pirata de Dani. Intenta convencer a su hermano recurriendo a todos sus trucos. Le ofrece incluso sus próximos cinco postres. Es inútil. El domingo entregará su paga a su hermano… ¡Nada! Le ofrece prestarle su bicicleta una semana entera…

—Y que conste que sólo quiero tu barco por una tarde —insiste Kika.

Ni por ésas.

Da igual lo que le ofrezca a su hermano a cambio del barco. Dani, testarudo, se niega a prestárselo.

«Espera y verás», piensa Kika. «¡Secuestraré sin más tu maldito barco pirata!»

Decide aguardar hasta esa noche, cuando Dani esté profundamente dormido.

Las horas de espera se le hacen eternas, pero por fin llega el momento.

Después de lavarse los dientes, Kika se acuesta para que sus padres les den el beso de buenas noches sin sospechar nada. No le resulta muy difícil permanecer despierta. Está demasiado nerviosa. ¡La de aventuras que vivirá con los piratas!

Por fin dan las once. Es la hora del saqueo a la habitación de Dani. Seguro que su hermano lleva ya un buen rato soñando.

Kika se levanta y aguza el oído. En la casa reina un silencio sepulcral. Hasta sus padres parecen dormir. Se desliza descalza hasta la habitación de Dani y abre la puerta con enorme cautela.

—¿Adónde vas, Kika?

¡Porras! Mamá se entera de todo.

—¿Qué quieres hacer a estas horas en la habitación de tu hermano? Pensaba que ya estabas dormida.

—Yo... iba al cuarto de baño, pero me he equivocado de puerta —responde Kika.

—Bueno, pues entonces ten cuidado, no vayas a quitarte sin querer la chaqueta en lugar de bajarte los pantalones del pijama —le dice su madre desde el salón.

Está allí sentada, leyendo. Kika creía que se había metido en su dormitorio hacía mucho rato. ¡Mala suerte!

A pesar de que no tiene ganas, Kika se dirige al baño sin rechistar. Se sienta en la tapa del retrete y cuenta hasta veinticinco muy despacio. Luego tira de la cadena.

—No olvides lavarte las manos —le recuerda su madre.

Kika resopla y deja correr el agua unos instantes. Después se seca las manos a conciencia mientras cuenta hasta doce. Vuelta a la cama y vuelta a esperar. Por fin escucha a su madre en el cuarto de baño. El agua de la cisterna cae con fuerza y a continuación se oye correr el grifo. Su madre por fin entra en su dormitorio.

Poco después de medianoche, Kika decide intentarlo de nuevo. Está completamente desvelada. Con sumo cuidado se levanta de la cama y aguza el oído. No hay moros en la costa.

A toda prisa, se desliza por el pasillo hasta el cuarto de Dani.

¡Al fin tiene en sus manos el barco pirata! Sigilosamente, regresa con él a su habitación. Tras cerrar la puerta muy despacio, da un suspiro de alegría.

¡Ha conseguido el primer requisito para emprender su viaje!

Coloca el barco de juguete justo al lado del libro de magia y saca una pequeña nota del bolsillo de la chaqueta de su pijama. En ella ha escrito la fórmula mágica que necesita. Coge el barco y se dispone a pronunciar el conjuro cuando en el último momento recuerda:

«¡También necesito un objeto para regresar y, además, no puedo olvidarme del tiempo!» Saca del cajón del escritorio su reloj de pulsera nuevo con cronómetro y despertador incorporados. Tiene que llevárselo. Kika no puede quedarse mucho tiempo con los piratas; debe estar de vuelta como muy tarde a la hora de levantarse para ir al colegio. Pone el despertador a las seis y media.

¡Y ahora, adelante! Musita la fórmula mágica mientras aprieta el barco contra su corazón, justo como dice el libro.

Se oye un *fiuuuuuu...,*

y de pronto Kika nota una extraña sensación en la barriga. Ya no consigue mantener los ojos abiertos. Le zumban los oídos y siente que el suelo desaparece bajo sus pies.

—¡Estoy vo–vo–volando...! —tartamudea.

Tan sólo un instante después vuelve a notar tierra firme bajo sus zapatillas. Apenas se atreve a abrir los ojos. Cuando al fin lo hace, exclama:

—¡No puede ser!

Contaba con todas las posibilidades menos con una: aparecer delante de una cama. La de Dani.

—¡No puede ser! —repite Kika, pellizcándose el brazo.

Sin embargo, no está soñando, porque cuando roza suavemente el codo de su hermano pequeño, éste se limita a darse media vuelta mientras suelta un resoplido. Kika regresa a su cuarto y se planta otra vez delante de su escritorio con el barco debajo del brazo. Luego revisa detenidamente la fórmula mágica de su nota. A lo mejor no la ha pronunciado bien.

Después de asegurarse por completo de que domina la fórmula al dedillo, vuelve a murmurarla de nuevo.

Otra vez pierde el sentido y aparece en la habitación de su hermano. Pero ahora su vuelo de bruja la ha llevado directamente a su cama. Como es natural, el aterrizaje despierta a Dani.

—Pero ¿qué haces aquí? —pregunta él frotándose los ojos, medio dormido.

—No pasa nada —susurra Kika—, sólo quería darte las buenas noches.

—Buenas noches —responde Dani, y tras darse media vuelta sigue durmiendo.

De nuevo en su habitación, Kika vuelve a consultar el libro de magia. Tal vez haya copiado mal el conjuro.

Pero las palabras del libro y las de la nota coinciden hasta la última letra. A lo mejor es imposible trasladarse en el tiempo con el «Salto de la bruja», y sólo se pueden hacer viajes corrientes y molientes.

¿Corrientes y molientes? ¿Acaso es normal saltar de una habitación a otra, como quien no quiere la cosa, con ayuda de una fórmula mágica y de un barco pirata de juguete? Sin embargo, a Kika se le ha metido en la cabeza viajar en el tiempo y no parará hasta conseguirlo.

Reflexiona. ¿Por qué ha ido a parar precisamente a la habitación de su hermano? ¿Por qué no a la cocina o al sótano? ¡Claro!

El barco pertenece a Dani. Por eso ha aterrizado en su habitación. Es lógico.

Kika sigue pensando y, de pronto, lo comprende todo: ella sólo ha mencionado como destino de su viaje un barco pirata, pero tiene que aportar datos más concretos.

Ahora que ya se sabe de memoria el conjuro para el «Salto de la bruja», sostiene con fuerza el barco pirata de Dani, apretándolo contra su pecho. Oye los latidos de su corazón, y luego musita el conjuro. ¡Allá va!

Fiuuuuuu... ¡Hurra, ha resultado!

En esta ocasión el vuelo dura bastante más. Kika nota cómo el viento silba en sus oídos. Los párpados le pesan como si fueran de plomo. Aunque no consigue ver nada, ahora parece estar atravesando una nube de lluvia, porque siente una humedad fría a su alrededor.

Tirita. Pero apenas unos pocos instantes más tarde siente calor. Un calor insoportable. El sol arde en el cielo. Kika lo percibe a través de sus párpados cerrados.

Luego, de repente, oscurece. El aire se ha vuelto húmedo y asfixiante. Un olor desconocido invade su nariz.

Kika abre los ojos. Ha aterrizado en un lugar bastante oscuro. Estira los brazos y tantea con las manos.

Está sentada en medio de unas gruesas cuerdas cuidadosamente enrolladas, que despiden un olor peculiar.

Poco a poco, sus ojos se acostumbran a la escasa luz que se cuela por algunas rendijas del techo. No hay ni rastro de piratas.

Junto a los rollos de cuerda apilados unos encima de otros se ven grandes piezas de tela. Y algo más allá, un montón de toneles.

Kika comprende enseguida dónde se encuentra, y también por qué no cesa el zumbido sordo en sus oídos.

¡Está en la panza de un barco! Y el barco navega por el mar, surcando las olas. ¡Claro! Eso es lo que origina ese ruido atronador que resuena en el interior del casco de la embarcación.

—¡Yujuuu! —exclama Kika.

Entonces piensa que a lo mejor no es muy aconsejable soltar demasiados gritos de alegría. Al fin y al cabo, ella es una especie de polizón, y no sabe lo que pensarán los piratas de su visita.

En cualquier caso, Kika imaginaba que el cargamento de un barco pirata sería mucho más interesante que todas esas montañas de cuerdas y toscas telas. Entonces trepa por la bodega, pero lo único que descubre son tablas de madera apiladas, montones de clavos y piezas de hierro, trozos de cuero y barriles. Ni rastro de piedras preciosas ni de valiosos lingotes de oro. ¿Dónde porras esconderán los piratas el botín? Allí ni siquiera hay una triste bala de cañón.

De repente, el barco se inclina tanto que Kika tiene que agarrarse al extremo de una cuerda para no rodar por el suelo.

Entonces escucha por primera vez pasos apresurados por encima de ella. Unas voces masculinas gritan órdenes incomprensibles. Kika aguza el oído. El barco vuelve a enderezarse y se restablece la calma. Ella sigue explorando a su alrededor. A juzgar por los objetos que ve, debe de encontrarse en un barco viejo de verdad. ¡Y eso significa que ha ido a parar al pasado!

¿Qué ocurrirá ahora? Kika todavía no ha pensado nada al respecto. Según todo lo que ha leído sobre la vida de los piratas, no cabe esperar encontrar allí personas especialmente amables. Seguro que son seres salvajes, engendros del diablo... ¡Menuda perspectiva!

Kika reflexiona unos instantes: «¿No sería más aconsejable pronunciar ahora mismo la fórmula mágica y regresar a casa? ¡Bah! Sólo por echar un vistazo no va a pasarme nada, y con ayuda de la brujería puedo regresar cuando me apetezca.»

Guarda la nota con el conjuro para el «Salto de la bruja» en la pequeña bodega del barco pirata de su hermano y decide continuar explorando. A lo mejor encuentra por algún sitio una escalera que conduzca arriba.

De pronto oye justo encima de su cabeza unos pasos pesados y un extraño ruido, como si alguien estuviera arrastrando algo. ¿Qué ocurrirá? Alguien maldice en voz alta ahí arriba. De repente, un rayo de luz se cuela por una rendija del techo y atraviesa como un cuchillo afilado la oscuridad que la rodea.

Rápida como el rayo, Kika salta hacia un lado y, con enorme sangre fría, se oculta dentro de uno de los grandes rollos de cuerda. Por desgracia, la soga está tan bien enrollada y tan apretada que apenas le permite ver nada. Lo único que logra distinguir es que el rayo de luz ha dejado de moverse.

Entonces supone que alguien ha debido de abrir una escotilla en cubierta.

Arriba aumenta el ruido. El corazón de Kika late desbocado. ¡Si al menos no se le hubiera caído el barco de juguete a causa del susto! Ahora estará tirado por algún sitio. Dentro de ese barco está la nota, y sin ella nunca logrará pronunciar como es debido el encantamiento para viajar de regreso a casa…

Capítulo 3

Poco tiempo después, Kika oye cómo algo cae rodando estrepitosamente por una escalera de madera. La escotilla de cubierta se cierra y en la panza del barco vuelve a reinar la oscuridad. Kika atisba cautelosamente desde su escondite. ¡Si al menos se hubiera traído una linterna de bolsillo!

Pero ¿qué ha sido eso? ¿No ha gemido alguien? Kika vuelve a deslizarse dentro del rollo de cuerda. Ahora está segura de que no está sola en la bodega.

Traga saliva y apenas se atreve a respirar. Tiene la boca completamente seca y las manos húmedas de sudor.

De nuevo oye el gemido, muy apagado. Y algo más. Kika se esfuerza por aguzar los oídos. Poco después ya no le queda duda alguna. En la bodega llora un niño. Tal vez a diez o veinte pasos de ella.

¿Debe darse a conocer? Kika reflexiona unos instantes. ¿Qué puede temer de un niño que llora? Además, parece como si necesitara ayuda.

Con rápida decisión, Kika sale a gatas de su escondite y avanza deslizándose sigilosamente. ¡Nunca se sabe...! Acaba de encontrar el barco de juguete de Dani. Lo recoge. ¡La seguridad ante todo!

Sigue avanzando sin hacer ruido hacia el lugar del que proceden los sollozos. ¡Ay! Kika acaba de darse un golpe en la cabeza contra un madero. Retrocede asustada y, para colmo de males, vuelca una pequeña caja. El contenido se desparrama con estrépito por la bodega. ¡Porras!

Kika se esconde a toda prisa debajo de un montón de sacos viejos. El polvo le hace cosquillas en la nariz y no puede evitar estornudar. ¡Lo que le faltaba! Escucha con atención.

Los gemidos han cesado. ¿La habrán descubierto...? Kika se suena la nariz para evitar estornudar de nuevo. En ese momento, oye que alguien también está sonándose la nariz. ¿Habrá sido el niño?

A lo mejor no ha descubierto aún su presencia.

Por fin, Kika sale de su escondite y prosigue el avance con cautela.

Un poco más allá entra algo de luz a través de las rendijas del techo, y Kika descubre que cerca de una estrecha y empinada escalera hay un chico escondido. El pelo le llega por los hombros, y lo lleva recogido en una cola de caballo. Viste una camisa blanca a la que le falta una manga, y unos pantalones hasta la rodilla.

«Seguro que es un chico pirata», piensa Kika.

—Hola —saluda ella tras salir de detrás de una caja.

El chico se sobresalta y corre a esconderse debajo de la escalera.

—¡Por la cagada de una gaviota y la fiebre de los trópicos! ¡Aquí hay fantasmas! —exclama asustado.

Entonces Kika repara en que el chico está herido. Ha tenido que vendarse una pierna con la manga que ha arrancado de su camisa.

—No tengas miedo —intenta calmarle Kika.

Sus palabras, sin embargo, no parecen tranquilizar al muchacho.

—¿Tú... eres una sirena, verdad? —pregunta él.

—No —contesta Kika riendo.

—Entonces ¿quién eres?

—Me llamo Kika, ¿y tú?

—¿Eres... quiero decir, eres de verdad?

Kika no puede evitar una carcajada.

—Soy completamente normal. Una chica como tú...

—¿Cómo has llegado aquí?

Kika busca la respuesta adecuada. No puede confesar que ha aparecido en el barco por arte de magia.

—El capitán Carrillo Barbudo dice que las mujeres a bordo sólo traen desgracias —añade el chico.

—¡Vaya! Conque eso dice, ¿eh?

Kika sigue devanándose los sesos para ex-
plicar de forma convincente su presencia
allí. El hecho de que al capitán no le gus-
te que haya mujeres a bordo no facilita
mucho que digamos su situación, ya de
por sí difícil.

—Entonces, y aparte de mí, ¿aquí no hay
mujeres?

—¿Mujeres? —el chico suelta una risita—.
Eso es lo más imposible de encontrar en el
barco del capitán Carrillo Barbudo. Ninguna mujer viva ha pisado jamás la cubierta
de su navío. O al menos eso dice él...

—Entonces yo debo de ser la prueba vi-
viente de lo contrario —comenta Kika con
tono burlón.

—¡Por los peces de las profundidades y
los nudos indesatables! No lo entiendo...
Al principio pensé que todo esto era cosa

de brujería, pero la verdad es que tú no tienes pinta de bruja, y también eres demasiado simpática para ser un espectro del infierno. Así que te lo preguntaré otra vez: ¿Quién eres? ¿Qué haces aquí? ¿Cómo has llegado a bordo?

—Demasiadas preguntas —responde Kika en un intento de ganar tiempo—. Empezaré por la última. En el último puerto subí al barco a escondidas y me oculté aquí abajo.

—¿Y qué has comido en todo este tiempo? ¡Porque hace más de seis lunas que no hemos avistado tierra!

Kika mueve los dedos de las dos manos como si fueran pequeñas patas y luego suelta un agudo chillido.

—¿Ratas? —pregunta el chico con cara de asco. Después traga saliva. Parece que se le ha quedado la boca seca de la impresión.

Kika asiente mientras se frota la tripa. Luego añade otra mentira más:

—Una vez que te has zampado las diez primeras, ya no saben tan mal. Eso sí: las cabezas son imposibles de comer, y los rabos... ¡sencillamente resultan demasiado amargos!

El chico vuelve a hacer una mueca de asco y añade, pasmado:

—Piqueras, el encargado de las velas, contó en cierta ocasión que se alimentó de ratas durante las semanas que pasó en la cárcel, pero a mí siempre me pareció que eso eran fantasías de marinero.

—No, no. Seguro que es verdad. Lo he leído en varios libros de piratas —afirma Kika con orgullo.

—¿Sabes leer? —pregunta el chico, cada vez más asombrado.

—¡Claro! ¡Eso se aprende en el colegio!

—¿Qué es un colegio?

Kika se lleva las manos a la cabeza. De repente lo comprende todo. Ha retrocedido volando casi cuatrocientos años, y en esa época aún no había colegios. Los profesores sólo iban a las casas de los niños que tenían padres muy ricos. Así que no es extraño que este chico no sepa lo que es un colegio. Kika intenta explicárselo:

—Nosotros llamamos colegio a una habitación en la que se aprende a leer.

Pero el chico pirata ya no le presta atención. De pronto murmura con tono de infinita tristeza:

—Mi madre también sabía leer, antes…

—Leer no se olvida —dice Kika. Pero inmediatamente siente pena y pregunta—: ¿Se quedó ciega... o murió?

—No. Ella aprendió antes, cuando todavía no era pirata.

—¿Tu madre es pirata? —exclama Kika sorprendida—. ¡Venga, cuéntamelo!

—Es una historia de locos. Yo mismo hace poco que la conozco. Le he rogado una y otra vez a Piqueras que me la contara. Como es lógico, algunas cosas he tenido que deducirlas por mí mismo. El miedo de Piqueras a la venganza de Carrillo Barbudo era demasiado grande. Sin embargo, desde hace unas horas lo sé con certeza: mis sospechas eran acertadas. ¿Por qué si no estaría aquí abajo?

Kika no entiende una sola palabra.

—Resumiendo —le explica el chico pirata—: Soy el auténtico hijo de la tristemente célebre pirata doña Isabel Añoranza de la Felicidad, más conocida y temida en los siete mares por el nombre de Tronadora. Mi padre no es otro que Louis de Pomme, llamado Carrillo Barbudo. Por lo visto, mi padre raptó a doña Isabel de un barco español, y como era tan bella, se enamoró de ella al instante. Doña Isabel era entonces una refinada dama de la nobleza, pero

71

le gustó mi padre, y la vida pirata también. El caso es que se convirtió en una auténtica pirata. ¡Menuda era! Espiaba en las oficinas de los puertos y se enteraba de las rutas secretas de navegación y de los cargamentos más valiosos. Para ella no suponía ningún problema leer las rutas y las listas de los cargamentos. En cierta ocasión ella misma proyectó un barco con un velamen completamente nuevo. Mi padre lo mandó construir y se convirtió en el barco pirata más veloz de los océanos. Lo llamaron «Reina de los mares». Todos los hombres estaban entusiasmados. Todos, menos mi padre. Se puso celoso porque su mujer asumía el mando cada vez con más frecuencia... Y entonces sucedió lo que tenía que suceder. Mis padres se pelearon. Mamá cogió el barco rápido y se marchó. Por aquel entonces yo acababa de aprender a andar y tuve que quedarme con mi padre. Él impidió que mi madre me llevara consigo. Dijo que así ella regresaría

REINA DE LOS MARES

NIDO DE CUERVOS

PALO DE MESANA

PROA

POPA

TIMÓN

Tronadora

pronto a su lado. Sin embargo, se equivocó. Con el correr de los años, doña Isabel acabó convirtiéndose en Tronadora.

—¿Qué sucedió después? —preguntó Kika muy impresionada.

—Ella le envió un mensaje diciéndole que sólo yo debía decidir con cuál de ellos quería vivir cuando fuese algo mayor. Si hasta entonces mi padre osaba tocar uno solo de mis cabellos, ella se encargaría personalmente de afeitarle la otra mejilla.

—¿Afeitarle la otra mejilla?

—Sí —explica el chico pirata—. En una de sus peleas, ella le produjo tales heridas en la cara con su cuchillo que desde entonces no le ha crecido ni un pelo de la barba en

74

la mejilla izquierda. Eso le infundió mucho respeto hacia ella y le mereció el apodo de Carrillo Barbudo.

Kika se acaricia la mejilla casi sin darse cuenta y suelta un silbido entre dientes.

—¿Y por qué te ha encerrado aquí? —pregunta.

—Cuando por fin averigüé la verdad sobre mi madre gracias a la ayuda de Piqueras, mi padre montó en cólera. A lo mejor tiene miedo de que ahora quiera irme con ella, porque en ese caso no sólo habría perdido a su mujer, sino también a su hijo.

—¿Y tú quieres irte con ella? —quiere saber Kika.

Tras reflexionar unos momentos, el chico contesta:

—La verdad es que no la conozco, y no es precisamente por falta de ganas... Seguro que hasta me enseñaría a leer y escribir. Pero Carrillo Barbudo no me dejaría marchar, te lo garantizo..., a pesar de que yo volvería y entonces él tendría que nombrarme timonel, ya que sabría más que todos los del barco juntos, porque podría leer y todo eso...

El chico pirata parece triste. La verdad es que su situación es realmente difícil. Kika piensa en la forma de ayudarle, aunque de momento tampoco se le ocurre nada.

—¿Por qué llevas ese vendaje en la pierna? —le pregunta al fin.

—Ah, un incidente sin importancia. No es más que un agujero. La herida no paraba de sangrar, así que tuve que vendarla. La culpa fue mía. No me aparté con la sufi-

76

ciente rapidez cuando el cocinero me lanzó un cuchillo al pescarme picoteando comida en la cocina.

«¡Duras costumbres las de los piratas!», piensa Kika, y de repente ya no está tan segura de querer conocer al capitán Carrillo Barbudo y a su tripulación. No le da mucho tiempo a pensárselo, porque en ese momento abren la escotilla situada encima de la escalera y Kika consigue ponerse a cubierto por los pelos.

—¡Vamos, sal de ahí! —grita una voz desde arriba—. El capitán desea verte. Quiere que le digas todo lo que te ha estado cotilleando Piqueras. La tripulación tenía rigurosamente prohibido hablarte de tu pasado. ¡Vamos! ¿A qué esperas? Ese parlanchín ya está atado al palo de mesana. Dentro de poco servirá de pasto a los tiburones.

—¡No podéis hacer eso! —grita el chico pirata.

Arriba resuena una carcajada.

El chico se sienta en la escalera y mira a Kika con gesto de desesperación.

—Ése era Desollador —dice luego—, el más brutal de los marineros del barco. Por desgracia, también sabe un montón de navegación, y por eso es el segundo de a bordo, después del capitán. Todos le temen, posiblemente hasta mi padre. Pero al mismo tiempo Desollador tiene más miedo a las sirenas y a los espíritus del mar que el diablo al agua bendita.

El chico pirata comienza a subir la escalera.

—No se te ocurra dejarte ver por ahí arriba —le dice a Kika en un susurro—. Tengo que intentar salvar a Piqueras. Más tarde vendré a ver cómo estás. Ésos no pierden el tiempo con los polizones, y además hay que contar con el odio de Carrillo Barbudo hacia todas las mujeres...

Ya no tiene tiempo de dar más explicaciones, porque Desollador empieza a vociferar desde la escotilla para meter prisa al chico.

Kika vuelve a quedarse sola. Quiere ayudar al muchacho y a su amigo Piqueras, por supuesto, pero también está claro que eso puede ser terriblemente peligroso.

Los tiburones son rápidos como el rayo, y sus afilados dientes cortan como cuchillos. A Kika no le queda mucho tiempo para reflexionar. En semejante situación sólo un hechizo puede ayudarla.

Capítulo 4

—¡**F**uego! ¡Fuego a bordo! —gritan en cubierta.

En efecto, de la escotilla que conduce a la bodega brotan enormes nubes de humo. Llenos de pánico, los marineros corretean de un lado a otro con cubos de agua que vierten en la panza del barco.

Porque, después de la magia negra y de las apariciones espectrales, lo que más temen los marineros es el fuego. Y eso a pesar de estar rodeados únicamente por agua. Kika sabe también que esos viejos barcos de madera se incendian con frecuencia, sin que dé tiempo a acarrear el agua suficiente para apagarlos.

Por eso los piratas acostumbraban a luchar a menudo contra el fuego. Gracias a los libros que ha leído, Kika conoce la antigua táctica pirata del «regalo de fuego». Consiste en preparar un bote lleno de madera ardiendo que se desliza a favor de la corriente hacia los barcos enemigos. En cuanto alcanza su objetivo, se desencadena una tormenta de fuego que es infinitamente peor que cualquier ciclón.

Así, no es extraño que en esos momentos la tripulación del capitán Carrillo Barbudo corra atolondrada de un lado a otro, presa del pánico.

Sólo Kika conserva la cabeza fría. Aprovechando el barullo, sube a cubierta sin que la vean. Con un hatillo de tela blanca bajo el brazo, donde guarda el barco de juguete de Dani, y un pesado cubo de hojalata en la mano, llega al palo mayor. Fuertes cabos entretejidos forman una escala de cuerda que conduce palo arriba. Kika ya ha trepado a la primera verga, sujeta al palo mayor como si fuera un travesaño. Después prosigue la subida. Está tan concentrada en su tarea, que ni siquiera tiene tiempo de mirar hacia abajo, aunque eso es una ventaja, porque si lo hiciera, seguramente se marearía. Por fin, completamente agotada, llega al pequeño puesto de vigilancia, sujeto al palo mayor a una altura de vértigo.

—¡El puesto de vigía! Igual que en el barco de Dani... —murmura Kika con tono triunfal.

La primera mirada hacia abajo casi la deja sin respiración. Le parece que de un momento a otro se caerá de cabeza sobre la cubierta. Sus manos buscan algo a lo que agarrarse... Pero pronto supera la sensación de mareo y empieza a disfrutar de la vista.

Desde allí no sólo se puede vigilar la aparición de otros barcos o de tierra en el horizonte, sino que también se dispone de una panorámica de todo el barco pirata.

Las nubes de humo que brotan del interior del navío se van disipando poco a poco. Kika sabe por qué. A fin de cuentas, ha sido ella misma la encargada de provocar el humo, aunque no con fuego, sino mediante una pequeña brujería. Conoce de memoria la fórmula mágica adecuada para provocar humo. Ya le prestó buenos servicios la vez que puso el colegio patas arriba con sus hechicerías. En aquella ocasión, todos acabaron completamente fuera de sus casillas. ¡El colegio entero echando humo como una chimenea, y sin rastros de fuego por ninguna parte...!

Ahora, Kika ha aprovechado la confusión de los piratas para trepar al palo mayor sin que la descubran. Sin embargo, se propone algo más.

Por eso lleva consigo la tela blanca y el pesado cubo de hojalata.

Kika espera hasta que el humo se desvanece por completo. En cubierta, los hombres siguen corriendo como locos de un lado a otro, buscando desesperadamente el origen del fuego.

«Ése debe de ser Carrillo Barbudo», se dice a sí misma al descubrir a un hombre cuya mitad izquierda del rostro brilla tan roja como el mismísimo fuego.

Kika tiene razón. En ese momento, Carrillo Barbudo está ordenando a sus hombres que sigan buscando el lugar del que procede el fuego.

—¡Donde hay humo tiene que haber llamas! —grita—. ¡Vamos, marineros, adelante!

Cuanto más buscan sin éxito sus piratas, más aumenta la furia del capitán.

—¿Qué es esto, un barco pirata o un bote de pescadores? —vocifera mientras patea tan fuerte el palo mayor con sus pesadas botas que Kika nota las sacudidas desde lo alto.

—¡Que venga Desollador! ¡Y que traiga el látigo para arrancaros la piel a tiras si no trabajáis como es debido!

Entonces, entre gritos y maldiciones, Desollador sale de la cocina. Kika no tiene la menor duda de que se trata de él. Un tipo de aspecto verdaderamente salvaje.

Cubre sus cabellos desgreñados con un pañuelo de colores, y el aro de su oreja es tan grande que podría utilizarse como toallero. Lleva al chico pirata, que no para de patalear con fuerza, sujeto entre sus zarpas, tan grandes como sartenes.

—¡Rata asquerosa, tú has provocado el fuego! —le grita al muchacho—. ¡Confiesa!

—¡Yo no he sido, yo no he sido!

Pero Desollador no le escucha, y empieza a sacudirle como si fuera un almohadón.

—Tú estabas en la bodega. ¿Cómo has prendido el fuego? ¡Dímelo o te saco los hígados! —amenaza mientras lo aprisiona entre sus brazos cubiertos de tatuajes.

Por suerte, Carrillo Barbudo se interpone entre los dos.

—¡Eh, tú, que vas a matar al chico! Aún no sabemos si ha sido él. Si no tuviera la certeza de que Piqueras está atado al palo de mesana, diría que ha sido él quien ha provocado el fuego.

«¡Cielos!», piensa Kika. «Yo no quería llegar a esto. Primero ese pobre chico, y ahora, encima, Piqueras. Pero ¡esperad un poco, piratas de pacotilla: pronto nos veremos las caras!»

Se agacha y mete la mano en el cubo. Se ha pinchado un poco, porque el recipiente está lleno de pequeños clavos.

Luego, todo sucede muy deprisa. Kika empieza a arrojar puñados de clavos sobre la cubierta, procurando que no la vean desde abajo. El cubo queda vacío en unos segundos.

Kika escucha el ruido de los clavos al estrellarse contra la cubierta. El efecto es colosal. Los piratas, petrificados, miran fijamente hacia arriba.

—¡Que el cielo nos asista! ¡Están lloviendo clavos! —vociferan.

Carrillo Barbudo es el primero en recuperar el control de sí mismo.

—¡Tonterías! ¡Por el can Cerbero y los dientes del tiburón! En el puesto de vigía hay alguien que pretende burlarse de nosotros. ¡Aprisa, Desollador, sube al mástil!

«¡Porras!», piensa Kika.

Ha menospreciado la astucia del capitán Carrillo Barbudo. ¿Y ahora, qué?

—¡Vamos, Desollador! ¿A qué demonios esperas? —le apremia el capitán pirata—. ¡Sube de una maldita vez! Y no olvides llevarte un clavo bien grande para ensartar en el palo a ese mequetrefe.

—Pero... ¿y si ahí arriba hubiera...? Quiero decir, ¿y si se tratara de un espectro...? —tartamudea Desollador—. Primero el humo sin fuego, y ahora esta lluvia de clavos...

—¡Por el hedor a brea y la rotura del palo mayor! ¡Te digo que esto es una tomadura de pelo, y de las peores! ¿Vas a obligar a subir al mástil a tu capitán, a su edad?

—¿Y si nos contamos para comprobar si falta alguno de nosotros? —propone un miembro de la tripulación.

—¡Buena idea! —exclama Carrillo Barbudo—. ¡Todos los hombres a cubierta! ¡Y bien colocaditos en fila. ¡Artillero, cuenta tú!

El artillero empieza a contar.

—Trece hombres —anuncia.

—¡Oh, no, trece no! —se lamenta Desollador—. El trece es un número aciago. Este barco está maldito. ¡Yo jamás me habría enrolado con trece hombres!

—¡Déjate de pamplinas; somos quince en total! —le interrumpe Carrillo Barbudo acariciándose la mejilla izquierda—. Timonel, cuenta tú. Eres el más experto.

—¡Catorce, capitán! —exclama—. Pero... Ejem..., me parece que he olvidado contarme a mí mismo —reconoce entonces el timonel en voz baja.

El capitán frunce el ceño. Kika no puede evitar una sonrisa de lástima y musita para sí:

—Ya que no saben leer, al menos podrían dominar el arte de contar...

—¿Estás seguro de que son catorce? —pregunta el capitán a su timonel.

—Tan seguro como que la estrella Polar está al norte.

—Eso quiere decir que falta uno, ¡y lo encontraremos en el puesto de vigía! —dice Carrillo Barbudo con aire satisfecho.

—Y Piqueras, ¿qué? —pregunta el chico pirata.

La cara de Desollador se vuelve roja de ira.

—¡Cierto! —brama—. ¡Piqueras, esa rata del infierno! Mira que darnos un susto semejante... ¡Probará el sabor de mi látigo...!

Y arrancándose el látigo del cinturón se precipita hacia el palo mayor.

Pero el capitán silba para indicarle que vuelva.

—¡Deténte, estúpido! —le ordena—. ¿Acaso no sigue Piqueras atado al palo de mesana?

Por supuesto que sí. ¡Lo habían olvidado por completo! Desollador vuelve a cambiar de color.

Blanco como la tiza y con las rodillas temblorosas, no aparta los ojos de lo alto del mástil.

—¡Por el nudo del verdugo, el de sangre y el palangre! ¡Ahora sí que no entiendo nada! —exclama el capitán, cuya voz ya no suena tan firme ni tan enérgica.

Kika comprende que ha llegado el momento de actuar en serio, y con ayuda del cubo de hojalata, da siete tremendos golpes contra el mástil.

—¡El espectro, el espectro! —aúllan todos los hombres mirando horrorizados hacia arriba.

—Y ha dado siete golpes... —murmura Desollador con voz temblorosa—. ¡Ojalá que eso no nos traiga más desgracias!

Kika se vuelca el cubo en la cabeza y grita:

—¡Uuuuuh, uuuuuuh!

Desde el interior del cubo de hojalata su voz resuena de una forma tan extraña como aterradora...

—¡El espectro, el espectro! —aúllan de nuevo los piratas, a la vez que empiezan a retroceder muy juntos unos de otros.

—Yoooo... —grita Kika con la voz fantasmal—. Yo no soy..., no sooooy...

Rápidamente se cubre con la tela blanca, para después incorporarse muy despacio. Tiene que sujetar muy bien el disfraz, porque ahí arriba el viento sopla huracanado. Pero eso le da un aspecto más fantasmal todavía. La visión hace enmudecer a los piratas. Hasta el capitán Carrillo Barbudo se pasa la mano por la frente, que ha empezado a sudarle de miedo.

—¡Yo no soy un espectro! —resuena de nuevo la voz de Kika dentro del cubo de hojalata—. ¡Soy una *espectra!*

—¡Por el fuego del infierno y la calma chicha, esto es el fin! —se le escapa a Carrillo Barbudo—. ¡Una mujer, y encima enana...! ¡Estamos perdidos!

Kika no está dispuesta a apiadarse de los temerosos piratas, de modo que sigue con su actuación:

—He venido a vengarme... A vengarme por lo que le habéis hecho al chico... y por lo que queréis hacerle a Piqueras.

—¡Soltad a Piqueras ahora mismo! —ordena Carrillo Barbudo.

—¡Eso está bien! ¡Eeeeso está muy bieeen! —retumba la voz de Kika—. Y ahora el chico. ¡Mandadlo aquí arriba, conmigo!

—¡No, de ninguna manera! —replica el capitán—. ¡No puedes pedir eso! Te lo suplico. Es mi hijo. Él no tiene la culpa de serlo... Reconozco que a veces soy un poco rudo con él... En fin, quiero decir que, si exiges a toda costa una víctima, yo podría... ¡Él es tan joven todavía...!

—¡Eeeeso está bieeeen! ¡Entonces mándame a Desollador! ¡Me gustaría darle un beso de *espectra!* ¡Ja... ja... ja... ja!

—¡Oh, no, eso no! —lloriquea Desollador arrastrándose de rodillas ante su capitán.

—Esto son lentejas: si quieres las tomas, y si no..., ¡también! —responde Carrillo Barbudo—. No me queda otra opción.

—¿Y si subiera yo? —interviene el chico pirata.

Ya hace bastante que está casi seguro de quién es la *espectra* que anda haciendo de las suyas en el puesto de vigía.

—¡Estáááá bieeeen! —se oye retumbar allá arriba—. Demuéstrales a Desollador y a los otros que tienes más valor que todos ellos juntos.

A pesar de las advertencias de la tripulación pirata, el chico trepa por el mástil. Le cuesta un buen rato llegar arriba. Kika tiene que esperar. Y, justo entonces, ocurre:

¡La alarma de su reloj empieza a sonar! ¡Menuda faena! Ya son las seis y media. A Kika no le queda mucho tiempo. ¡Tiene que regresar sin perder un segundo!

Mira hacia abajo. El chico pirata ha llegado a la primera verga. No queda tiempo para explicaciones. Kika vuelve a colocarse el cubo tapándole la cabeza y grita:

—¡Carrillo Barbudo!, ¿me oyes...? Promete que enviarás a tu hijo con su madre, para que ella le enseñe a leer y escribir.

—¡Lo prometo, por mi media barba! Hoy mismo pondremos rumbo a su nido de piratas.

—Por desgracia, ya no puedo hacer nada más —-murmura Kika.

Y mientras estrecha el barco de Dani contra su corazón, susurra el conjuro del «Salto de la bruja». Enseguida nota cómo pierde el sentido...

—¡Kika, Kika, levántate! —oye por fin la voz de Dani.

Todavía muy mareada, Kika descubre que está tumbada en su cama.

—¡Vamos, despierta! —le dice su hermano—. ¿Eh? ¡Pero si ése es mi barco pirata!

Kika trata de tapar el barco rápidamente con la colcha, pero Dani es más rápido y le echa el guante.

—¿Y esto qué es? —Kika todavía guarda algo escondido debajo de la colcha—. Pero ¿qué haces con ese viejo cubo de hojalata metido en la cama? —pregunta Dani muy sorprendido.

—Estooo... Bueno, la verdad es que es... ¡es una historia de locos! Más tarde te la contaré.

Truco pirata
«Nudos de marinero»

Los piratas dominan el arte de hacer nudos de marinero capaces de aguantar incluso las mayores tempestades y que, sin embargo, siempre se pueden soltar fácilmente.

Nudo llano

Con este nudo puedes unir los extremos de dos cuerdas.

As de guía

Este nudo forma un lazo que no se cierra ni siquiera colgando de él una pesada carga.

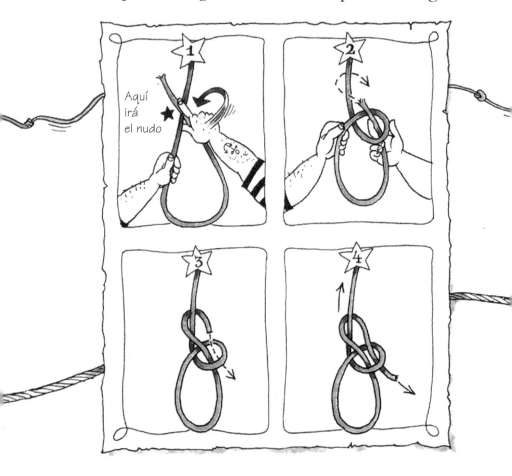

Para hacer tu propio as de guía, coge un trozo de cuerda bastante largo —me refiero, claro está, a una cuerda típica de barco— y ata uno de sus extremos a un peso o al picaporte de la puerta, por ejemplo. Después, todo consiste en realizar correctamente el giro de ☆1 a ☆2 y realizar los movimientos ☆3 y ☆4 como te indica la ilustración.

☆1 Primero coloca con el índice de la mano derecha el extremo libre del cabo formando un gran lazo, igual que en la ilustración. A continuación, gira la muñeca hasta que el dorso de tu mano quede hacia abajo.

☆2 Al hacerlo obtendrás un pequeño lazo por el que asomará tu dedo índice con el extremo del cabo.

¡Puedes deducir fácilmente el resto con ayuda de las ilustraciones!

Truco pirata
«Osa Mayor»

Los piratas tienen que reconocer los puntos cardinales incluso de noche. Algunas estrellas se los indican (siempre que haga buen tiempo). Por ejemplo, la estrella Polar señala siempre dónde está el norte.

112

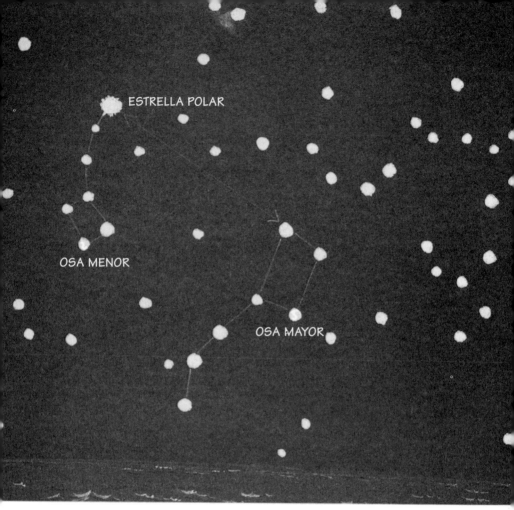

ESTRELLA POLAR

OSA MENOR

OSA MAYOR

Busca la constelación de la Osa Mayor (algunos la llaman también el Carro). Traza una línea diagonal hacia arriba, según te indica el dibujo, y verás la estrella Polar brillando en el firmamento.

Truco pirata
«El mensaje de la botella»

Si has ido a parar a una isla remota después de un naufragio, ¡un mensaje dentro de una botella puede salvarte la vida! Así que escribe una carta (siempre deberías llevar encima papel de notas y bolígrafo para casos de necesidad).

Luego busca una botella, mete dentro la carta enrollada y ciérrala con todo cuidado. Ahora ya sólo tienes que lanzar tu mensaje dentro de la botella al mar, al lago o al río que bañe la isla donde has naufragado.

Postdata: Un mensaje dentro de una botella puede proporcionarte amigos en todo el mundo. ¿Por qué no pruebas a enviar uno?

.

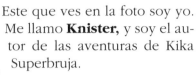

¡Hola!

Este que ves en la foto soy yo. Me llamo **Knister,** y soy el autor de las aventuras de Kika Superbruja.

Como siempre me ha gustado vuestro mundo, el de los chicos y chicas como tú, he escrito muchos libros y canciones para vosotros, y también obras de teatro.

Me encanta presentar programas de lectura en la tele, la radio, las bibliotecas, los teatros y las librerías de mi país (que, por cierto, es Alemania), y también disfruto mucho cuando realizo trabajos para chicos y chicas que son discapacitados psíquicos, o disléxicos, o ciegos..., todos ellos de tu misma edad.

Pero lo mejor de todo es cuando vosotros participáis conmigo en lo que hago, leyendo mis libros y compartiendo las aventuras de los personajes que los protagonizan.

En esta ocasión he querido presentaros a Kika Superbruja. Como es una bruja supersecreta, me costó bastante que me explicara sus trucos de magia, pero al final lo conseguí. Aunque..., no sé por qué, pero me da la impresión de que Kika Superbruja no me ha contado todos sus supersecretos... ¡y a lo mejor todavía le quedan unos cuantos hechizos guardados en la manga!

Índice

Trucos de pirata

Títulos publicados

*Este libro se terminó
de imprimir en HUERTAS,
Industrias Gráficas, S. A.,
en el mes de mayo de 1998*

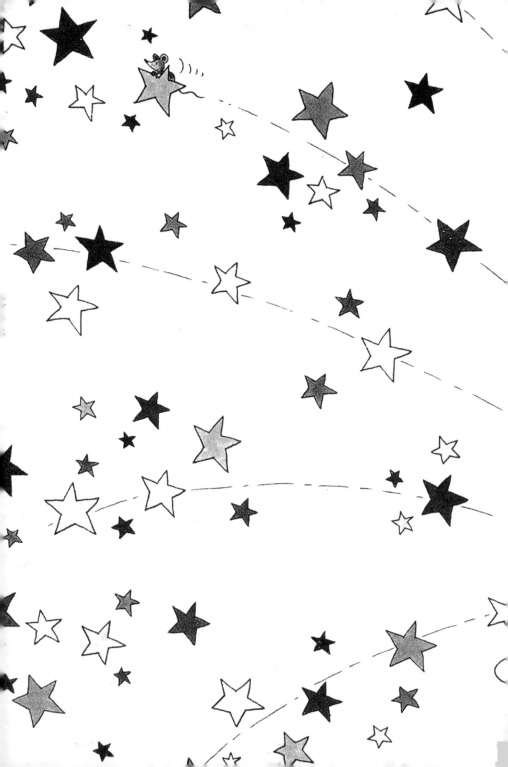